Texte : Josée Rochefo[rt]

Illustrations : Jean Morin

LA GRANDE ÉCOLE

TON ALBUM DE LA RÉNTRÉE

fonfon

Catalogage avant publication de
Bibliothèque et Archives nationales du Québec
et Bibliothèque et Archives Canada

Rochefort, Josée
La grande école : ton album de la rentrée
(Collection Histoires de vivre)

ISBN 978-2-923813-03-5

1. Rentrée scolaire – Ouvrages pour la jeunesse.
I. Morin, Jean, 1959- . II. Titre.
III. Collection : Collection Histoires de vivre.

LB1556.R62 2011   j371.002   C2011-941090-7

Direction littéraire : Emmanuelle Rousseau
Direction artistique et graphisme : Primeau Barey
Révision et correction :
Sophie Sainte-Marie et Monique Trudel
Dépôt légal : 2e trimestre 2011
Bibliothèque et Archives nationales du Québec
Bibliothèque et Archives Canada

Fonfon
Case postale 76575, Mtl CP Bélanger
Montréal (Québec) H1T 4C7
Courriel : info@editionsaf.com
www.editionsaf.com

IMPRIMÉ AU QUÉBEC
SUR PAPIER CERTIFIÉ FSC® DE SOURCES MIXTES

Remerciements

Mille mercis à mon éditrice pour sa confiance
et son grand cœur !

Tendresses à mes inspirantes amies auteures,
Marie Barguirdjian, Catherine Pineur et Dorothée
Roy. Un clin d'œil à mon ami là-bas, Émile Jadoul.

Enfin, merci à ma première collègue et précieuse
amie, Marie-France Cournoyer, et à mon complice
de vie depuis tant et temps, Martin Gagné.

J. R.

*À mes trois enfants, Robin, Fée et Émeraude,
qui furent aussi mes élèves de maternelle*

J. R.

*À mes filles, Raphaëlle et Mathilde
À mes neveux, Antoine, Vincent, Edmond
et Léopold
À ma nièce Laurie*

*Que l'école soit petite ou GRANDE,
elle est une étape importante de votre vie.
Profitez-en !*

J. M.

Message aux parents

Lorsque j'avais cinq ans, les classes de maternelle en étaient à leurs balbutiements. Devant l'inconnu, ma mère a décidé que je jouerais tout aussi bien à la maison. Je ne suis donc pas allée à la maternelle. Mais une fois devenue une grande fille, j'ai pu me reprendre. Parce que j'ai choisi l'enseignement, j'ai eu la chance de la recommencer douze fois !

Chaque année, les enfants qui arrivaient à l'école ressemblaient à de petites tortues avec leurs gros sacs à dos. Ils avaient le sourire aux lèvres... presque tout le temps. Les enfants pleurent pour deux raisons la première journée : soit ils la trouvent trop longue, soit ils la trouvent trop courte. Mais le plus souvent, ils veulent rester et jouer dans ce nouvel univers encore et encore.

Ce fut un privilège pour moi d'accueillir ces petites frimousses pendant toutes ces années. Chaque mois de septembre, j'avais le sentiment d'être en garde à vue ; je n'avais même pas la chance d'aller aux toilettes ! Tous mes faits et gestes étaient épiés par plusieurs paires d'yeux curieux. Avec les petits, pas de tricherie, il faut être vrai. Chacune de ces rentrées fut pour moi comme un cadeau que l'on déballe avec soin et précaution. Les liens que l'on tisse dès les premiers jours sont fondamentaux. Je savais que les enfants avaient besoin de sécurité pour s'adapter à cette nouvelle étape. Il m'a fait extrêmement plaisir d'être là pour eux.

De tout cœur, je souhaite, à vous et à votre enfant, que le premier jour d'école soit une belle expérience. J'espère que la lecture de cette histoire vous permettra de vivre de bons moments de rigolade et contribuera à rendre cet évènement unique.

Vous savez, en septembre, il n'y a pas que les enfants qui se couchent tôt !

Josée

Bientôt, Émile ira à la maternelle.

Même s'il se sent à la fois excité et inquiet, le petit garçon ne pose jamais de questions sur la grande école. Pourtant, tout le monde lui en parle !

Comme il a beaucoup d'imagination, des centaines d'images se bousculent dans sa tête…

Ses parents lui ont expliqué qu'il entrerait à la grande école.

Ce qu'Émile connaît de plus grand est le centre commercial.
Il se doute bien que l'école n'est pas comme ça.
Mais si elle était si grande qu'il risquait de s'y perdre ?

Quand il rencontre sa tante Béatrice, elle lui dit :

– À la grande école, tu auras des amis de tous les âges.

De tous les âges ? Vraiment ?

Quand il croise sa mamie, elle lui chuchote :

– Émile, tu es si chanceux ! À la grande école,
tes amis seront tous différents.

Ça, c'est chouette ! Émile adore rencontrer
de nouveaux amis.

Sa gardienne Simone, qui a déjà travaillé dans une école,
lui affirme :

– J'ai souvent vu des enseignantes de maternelle très colorées.

Ah oui ? Émile se demande de quelle couleur sera la sienne.

Après tout un été à imaginer son entrée à la maternelle, le grand jour est enfin arrivé.

Émile est tout de même un peu inquiet, car il doit prendre le grand autobus jaune.

Il le trouvait très attirant lorsqu'il voyait les autres enfants à l'intérieur. Maintenant que c'est à son tour d'y monter, il a les jambes en coton et des grenouilles dans l'estomac.

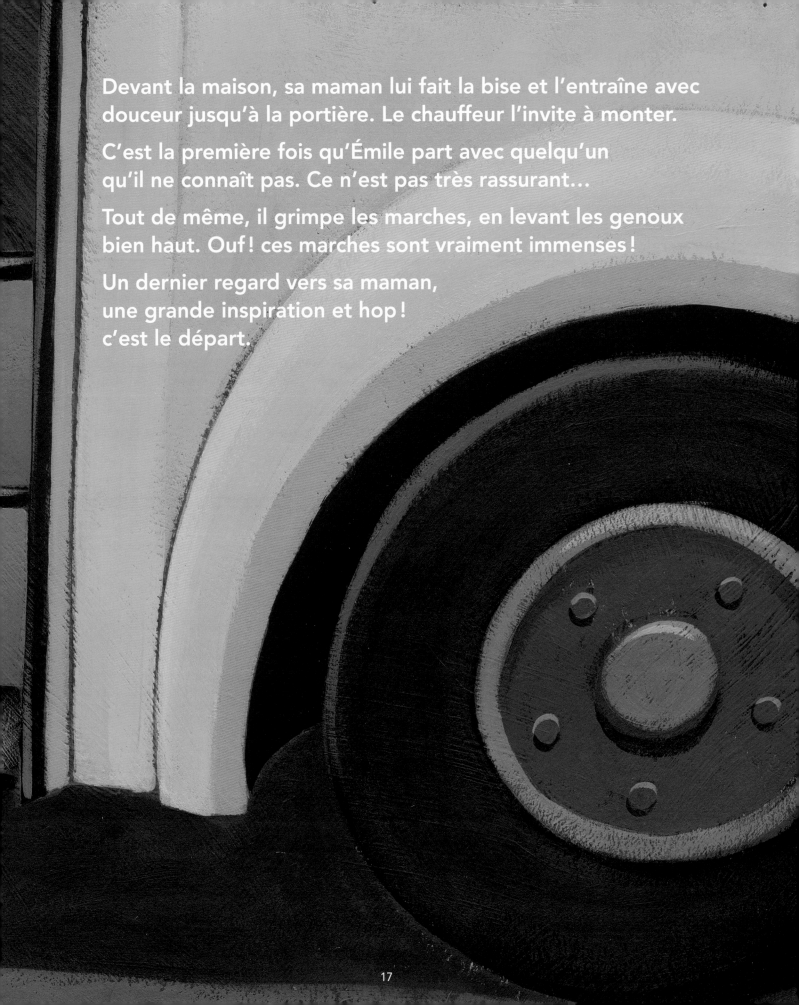

Devant la maison, sa maman lui fait la bise et l'entraîne avec douceur jusqu'à la portière. Le chauffeur l'invite à monter.

C'est la première fois qu'Émile part avec quelqu'un qu'il ne connaît pas. Ce n'est pas très rassurant…

Tout de même, il grimpe les marches, en levant les genoux bien haut. Ouf! ces marches sont vraiment immenses!

Un dernier regard vers sa maman,
une grande inspiration et hop!
c'est le départ.

Une fois à l'école, Marie-France, l'enseignante,
accueille les enfants chaleureusement. Elle désigne
à chacun d'eux un endroit où déposer son sac.

Mais Émile tient le sien fermement contre lui,
comme un trésor. Et si quelqu'un prenait son sac ?

–Émile, dit Marie-France, tu dois accrocher ton sac.
Nous le viderons à l'heure de la collation.

Ah oui ! Émile se souvient que sa maman lui a
coupé une pomme en petits bateaux. Il a déjà hâte
d'ouvrir sa boîte à lunch.

Tout à coup, il remarque sa voisine de vestiaire.
Elle le regarde attentivement et semble
vouloir lui parler. Émile lui fait un sourire timide.
La fillette se penche pour lui murmurer :

— Mon cousin m'a dit que l'enseignante de maternelle
crie à tue-tête et qu'elle a une voix de perruche.

Émile n'aime pas quand sa maman lui parle fort.
Cela lui donne envie de pleurer.

CLASSE DE MADAME MARIE-FRANCE

D'une voix douce et mélodieuse,
Marie-France demande à tous
de la rejoindre pour faire une ronde.

Elle chante, et sa voix est claire.
On dirait plutôt un pinson.

Pendant la ronde, les enfants apprennent
les prénoms des autres amis. Émile est content.
Ses seize nouveaux amis lui ressemblent.

Mais où se cachent donc les autres, tous ceux qu'il croyait rencontrer ? Peut-être dans le coin blocs ou dans le coin maison.

La matinée s'est déroulée rapidement.
Émile ne s'est pas ennuyé une seule seconde.
Il est même étonné lorsque Marie-France
annonce l'heure du départ.

Émile reprend donc l'autobus, direction maison.
Soudain, il s'inquiète pour sa maman.
Le temps a dû être affreusement long sans lui.
L'a-t-elle attendu toute la matinée ?

07525 4737

L'autobus s'arrête enfin devant chez Émile.
Sa maman l'attend avec impatience.

Pourtant, personne ne descend du véhicule !

D'un sourire entendu, le chauffeur invite la maman
d'Émile à monter dans l'autobus. Elle découvre
son petit garçon bien endormi.

Quand Émile ouvre les yeux, il voit sa maman et s'exclame :

–Oh ! je dois me lever tout de suite pour retourner
à l'école, hein, maman ?

La première rentrée scolaire est une étape de la vie très importante. Il nous apparaît essentiel que vous et votre enfant conserviez des souvenirs impérissables de ses premiers jours à l'école. Voici quelques questions qui vous en donneront l'occasion. Faites en sorte que ces instants demeurent inoubliables.

Ma photo

Pour la rentrée, j'ai choisi de porter :

....

....

Le nom de mon enseignante :

Le nom de mon école :

Mon enseignante m'écrit un message de bienvenue :

....

Mon parent m'aide à décrire ma première journée. Quelles sont mes impressions ?

....

Je peux nommer quelques-uns de mes nouveaux amis :

....

Ce que j'ai le plus hâte de faire :

Ce qui m'inquiète le plus :

Ce qui m'a fait le plus rire :

Je trouve que mon enseignante est :

Je trouve que ma classe est :

Mon coin préféré :

Mon plus beau souvenir de la rentrée :

....

Mon sac d'école est rempli de matériel tout neuf. J'ai très hâte

d'utiliser :